To Audrey
From Willie Hershaw
18.9.04.

JOHNNY AATHIN

WILLIAM HERSHAW

Edited by Lillian King

Rab Ward.

A catalogue record for this book is available from
the British Library

Printed by J. Thompson colour printers Ltd, Glasgow

Cover design - Belle Hammond
Front cover image - 'The Prop' was photographed by Bill Paton
and is being used with kind permission of the Artist and Sculptor
David Annand
Back cover image - 'Flying Geese' illustrated by Robert Ward
Illustrations - Robert Ward

Typesetting, layout and design by Windfall Books
Published by Windfall Books, Kelty
01383 831076
windfallbooks@tiscali.co.uk
www.windfallbooks.co.uk

ISBN No:978 0 9557264 3 9

DEDICATION

For Andrew, our brave and bonny lad
and the dedicated Staff at Ward 17,
Victoria Hospital, Kirkcaldy
and the Beatson Cancer Centre
Bone Marrow Transplant Unit, Glasgow

My heartfelt thanks to the following guid folk for their generosity, effort, advice, editing skills and patience in the preparation and publication of this book:

David Annand, Belle Hammond, John Herdman, Professor Tom Hubbard, Lillian King, Professor J. Derrick McClure, Bill Paton, Robert Ward.

Mary and David

ABOUT THE AUTHOR

William Hershaw is a poet, musician and songwriter.
Born at Newport on Tay in 1957 he studied English at Edinburgh University before becoming a teacher. His early poems in Scots were published in the anthology *Four Fife Poets* in 1988 by Aberdeen University Press along with John Brewster, Harvey Holton and Tom Hubbard. *The Cowdenbeath Man*, poems in Scots and English, was published by the Scottish Cultural Press in 1988. His work featured in the Polygon anthology *Dream State* – the New Scottish Poets (1994 & 2002). Akros have since published F*ifty Fife Sonnets*, 2006, and *Makars*, 2007 (tribute poems to the Scots poets of the 20th century). He won the Callum Macdonald Memorial Award in 2005 for the pamphlet *Winter Song* and was runner-up for the 2007 McCash Scots Poetry Prize.

INTRODUCTION

In 2007 I was asked to write a poem for the sculptor David Annand as part of an ongoing regeneration project in my hometown, a former coal-mining village. Being a fan of David's dynamic and thought-provoking work, I felt at once honoured but also greatly challenged. Public art is around for a long time - so long as a vigilante mob of art critics doesn't pull it down. There is something permanent about letters cut into stainless steel. I was concerned that my chosen words might turn out inappropriate for the past, present and future. As a consequence, I wrote a lot of poems before the final six lines emerged, one for each prop that David's straining, seamed and knotted Coal Man was either trying to hold up or be crushed by. The poem was *God The Miner,* concerning a supreme deity howking away in his sweaty semmit at space and time, building an existence for his bairns to live in at the far ends of the universe. God the Miner loves us but he's so far away and his shift is so long we never get to see him.

But before *God The Miner* there were other versions. And around them hovered a shadowy, shape-shifting, regenerating figure, on the peripheral haze of these half-wrought poems. He introduced himself as Johnny Aathin. I was grateful for his presence. Aathin helped me to start speirin anent a number of things - what Art is for, what Poetry is for, what folk and their wee touns are for, and wherefore art Poetry, folk and we touns?

Thanks to Johnny Aathin (he said it was naethin ataa) and the help of a large number of guid-hertit and true friends, this volume exists now and may supply an answer, at least on a personal level, to some of these conundrums: Every penny you spent on this book of poems and prose, written in the stem cell leid of Scots, will be donated to the cause of Leukaemia Research. The answer's obvious. In the words of my favourite songwriter, Alan Hull: *I need you, need me, need him, need everyone. . .*

Thanks for aathin.

William Hershaw

JOHNNY AATHIN: AN INTRODUCTORY NOTE

For anyone who loves the Scots language and believes in its continuing artistic potential, the appearance of a work like William Hershaw's *Johnny Aathin* is a heartening and timely event. In this elegiac portrait of a Fife mining community, Hershaw does not rest content upon his impressive lyrical gift but uses it as a springboard from which to launch himself into a far more ambitious project, a gallimaufry in the spirit of Hugh MacDiarmid's *A Drunk Man Looks at the Thistle,* in which individual poems contribute, like the pieces of a mosaic, to build up a composite picture that is warm, colourful, wide-ranging and deep.

The most strikingly original feature of this project is the prose commentary, something like a dramatic chorus, through which the protean persona of Johnny Aathin himself elaborates the ground from which the poems (here printed on the facing page) spring. Johnny is much more than Everyman - he is Every *Thing* – and beyond that he is the personification of the artistic spirit, the impersonal makar of poems, the something which enters into the life of things, knows them and re-fashions them as a new creation. In this he resembles Joyce's Shem the Penman:

He points the deathbone and the quick are still...He lifts the lifewand and the dumb speak.

Thus Johnny can *be* a tinker chiel, a wild goose in flight, a store horse, even the very coal itself hidden deep in the interior of the earth, and yet be something more than any of these - the very spirit of creation itself. This limitlessly shape-shifting figure is unified by the consistency of his voice. While poetry in Scots has continued to demonstrate its resilience (especially, in recent years, as a medium for translation), Scots prose for long remained relatively undeveloped.

With *Johnny Aathin* it takes a further stride forward. Here is a language warm, supple, vigorous and natural, without any of the disabling couthiness into which Scots prose writing has in the past been liable to descend. The counterpoint of prose and verse issues in an interwoven melody that is fuller, more developed, than either strand could be while standing alone.

It is the music of the community as an organic, living thing. In this generous work William Hershaw comes into full maturity as a Scots makar.

John Herdman

CELEBRATION AND LAMENT:
THE POETRY OF WILLIAM HERSHAW

I've known William Hershaw as a friend and brither-makar for over a quarter of a century. It was when I began my job at the Scottish Poetry Library that I came across the booklet containing his classic poem *High Valleyfield*, and I knew I had to meet this guy.

By now he's got an impressive array of slim volumes behind him and the time is surely overdue for a chunky collected edition. The present sequence, however, represents both a summing-up of abiding Hershavian concerns over the years, and a new departure: he is both looking to existing models and engaging himself with experimentation. For example, the poetry is interspersed with prose passages where we hear most explicitly the voice of Johnny Aathin himself. Applied to the matter of the former coaltowns of west/central Fife and how they cope (or otherwise) with the new dispensations of the late twentieth / early twenty-first centuries, this releases a different kind of lyricism from that we've associated with this makar - the prose, under pressure from the poetry surrounding it, sounds a mellower note.

Mellower - but NOT mellowed. This is still the William Hershaw who rages against injustice and inequality and always with that dark, quirky humour that's been a feature of this part of the world (it had to be). What, though, is an 'existing model' for his 'new departure'? Perhaps it's *Paterson* (late 1940s on) by the American poet-medic William Carlos Williams. Here you have the poetry and the interspersed prose passages setting off each other. Moreover, it's in one of these passages that Williams declares: 'That is the poet's business. Not to talk in vague categories but to write particularly, as a physician works, upon a patient, upon the thing before him, in the particular to discover the universal.' He then goes on to quote the American philosopher John Dewey: 'The local is the only universal, upon that all art builds.'

Upon that is built the poetry of William Hershaw.

Perhaps we should learn to use the word 'parochial' in a positive sense. The Irish poet Patrick Kavanagh (1904-67) shared Williams's outlook as above, though he was growlier about it, and why not, in view of what he encountered in the 'stony grey soil of Monaghan' and later aspects of Irish life that hurt him into poetry. Paddy Kavanagh made a crucial distinction between the 'parochial' and the 'provincial': 'The provincial has no mind of his own; he does not trust what his eyes see until he has heard what the metropolis - towards which his eyes are turned - has to say on any subject... The parochial mentality on the other hand is never in any doubt about the social and artistic validity of his parish. All great civilisations are based on parochialism.' In his sonnet *Epic*, Kavanagh has these lines: 'I inclined / To lose my faith in Ballyrush and Gortin / Till Homer's ghost came whispering to my mind. /He said: I made the Iliad from such / A local row.'

A local row: in Fife you can pronounce that word rowe or roe. In the latter case, we're talking of the miners' row, the archetypal row of houses now otherwise occupied and gentrified. Johnny Aathin knows the Fife pits and from a life that's weill-acquent with the gamut of tragedy and comedy he makes his 'universal' points. He's a reincarnation of John o the Commonweill in *Ane Satyre o the Thrie Estatis* by an earlier Fife makar, Schir Davie Lyndsay of the Mount. In more recent Scottish literature, his neibours can be found in T.S. Law's great long poem *Licht Attoore the Face,* growing as it did out of the 1957 deaths in the Lindsay pit and the plays and poems of Joe Corrie. He's also kin to the late Duncan Glen's John Atman, who evokes the industrial waste-scapes of Lanarkshire. In the following pages, too, you will meet a gallery of local characters comparable to those in *A Keen New Air* (1995) by Hershaw's contemporary and mine, Raymond Vettese, out Montrose way.

This is all far from sentimentality about a once-close community that's been left behind. At one point Johnny Aathin regrets that he 'chose tae bide ower lang in the wee smaa toun.' Looking inwards isn't healthy if that's all you do. Yet the wider world has impacted on his 'smaa toun' as has his smaa toun on the wider world. Hershaw has us meet the Lakota Sioux at the Wild West show in the town; he refers to the Open University and the 'second chance' which it's made available to at least some folk if not, sadly, all.

There are no 'experts' in Scottish literature, but there's no shortage of experts in an institution called 'Scot Lit.' We can at least make ourselves aware of what's going on in poetry up and down the country and also look abroad for analogues (what do they know of Scotland, who only Scotland know?) I had the privilege of living and working, during the 1990s, in Grenoble, France, and Asheville, North Carolina. What these two towns had in common was that they were in a kind of bowl, surrounded by mountains, the Alps, the Appalachians. But they also had literary sons who achieved much in that wider world. They're actually proud of their native novelists Stendhal (Grenoble) and Thomas Wolfe (Asheville). Not that the relationship between locus and local hero has been an easy one. Wolfe wrote the novel *Look Homeward, Angel* but also *You Can't Go Home Again.* Stendhal thought that Grenoble was a provincially-minded, petty-bourgeois dump and was glad to get the hell out - yet you come across some of his passages and you think, you can take the boy out of Grenoble but you can't take Grenoble out of the boy.

Let's hope that Fife, one day, will honour Wullie Hershaw as he, by his art, has honoured Fife.

Tom Hubbard

"Celebrate the seasons
Haud efter veritie
Find your equilibrium
And tell what happened ye"

from "Credo" by Sydney Goodsir Smith

"And this is aa the life he kens there is?"

from "Brand the Builder" by Tom Scott

Johnny Aathin

I'll mak a stert by introducing masel. I'm caaed Johnny Aathin. I come aff a big faimily. I hae kith and kin everywhaur.

In thir days I got round and about faur mair than nou. I was juist keepin a guid ee on fowk and aa their daeins, like I've ayeweys duin. Aiblins I was screivin the odd wittin doun in ma buik.

There were mair fowk gaun about the roads back syne - mair tae see, mair stories tae hear, mair tales tae be tellt. Mibbe I'm aa raivelt though. Nostalgia's no whit it uised tae be, fowk say.

Whit I jalouse is this - the makkin o a verse was faur aisier then. On a guid day, I micht mak three or fower. Mair fowk daudin about, mair poems, ye see?

For aabody's worth a rhyme or twaa. Some are worth a haill muckle ballant, their lives fou o bluid and snotters fae stert tae feinish: ithers micht ettle tae be a sweit refrain o Luve's auld sang.

There are bodies out there wha are nae mair nor a kenspeckle line o Standard Habbie. But it's a puir gangrel wha's no a verse tae his name. Here's ma ain poem tae ye - I made it masel so I howp ye like it.

Johnny Aathin

Johnny Aathin is
aathin that ever was,
he's never tint,

he's never tint,
afore, ahint
and ayeweys he,

and ayeweys he
in fullyery
is faur and neir,

is faur and neir,
ayont and here,
and nou, until,

and nou, until,
aathin bides still,
baith tuim and fou,

baith tuim and fou,
he's me and you,
Johnny Aathin is,

Johnny Aathin is
aathin that ever was

and syne he sterts anew . . .

In the time afore I mind a time, in the summer time, there was a lang traik tae a place wi a bricht loch and shining watter. There was a muckle camp whaur the tinker fowk wad meet up around the Lammastide.

On the lang road tae get tae it there was a manse whaur the meenister wad let ye bide a wee. He wadnae set his dugs on ye like some o they hoodie-craws. Beer and breid micht be haunded out. Braxy ham and whangs o cheese.

That was a guid lang while back. I was juist a bairn and can mind mickle o it, like a draim that wedes awaa when ye wauken up.

Ae Day In Summer

Weet - happit fields were derned in banks o haar,
the dawin road dreeled straucht and faur,
the bairns went guddlin in the glaury dreeps.

The morning lithed, we lowsed for dennertime,
jalousan we'd no reach the Muckle House:
lovers smooled awaa intil the birks.

Heat glaimed and skimmered in the air
as aathin, at aince, went everywhaur,
molecules joukan like tadpoles in a jeelly jaur.

Naethin binna stride it out. A wearisome spang,
mile efter mile ablaw the trauchlin sun.
We grew auld through the efternuin.

Syne - there were aipple trees and greenhouses,
swallows in the caller cramson sun - faa.
Daured we keek ower God's heich gairden waa?

I hae a notion I became a buird for a time. Aiblins ane o they geese that flee the skyroads ower that airt. I was aye drawn tae that place o the bricht loch and the shining watter, even in the bitterest cauldest winter.

The Swallow

Abuin the sklentan loch
geese cowp caicklin
like fenyeit friars.

A bluidy speug ?
Cauld as a nail, a robin
chirts his doulsome tale.

Twaa schauchlin neds
in Crombie coats
corbie a muckle sang.

The stervlin buzzard
wires intil the pink guts
o the blackie's bairn.

Kirkyirthlie a heron
goaves at daith,
dreich in his dreep manse.

Jocks o the Commonweill
kick up a stoushie, derned
in the hedgeraw paurliement.

Throu thir smaa days
o the lourdlie seasoun
the heeze fae a glisk o wings!

I'll tell ye aa about this smaa wee toun I became gey fond o. It was naethin special ataa fae ilka ither toun like it, but I was there at the kimmerin and kythin o it and I was there at its daith throes. Like maist touns it stertit in a field. Ae day there were neeps in it, the neist there were biggins.

I was at the straiggly tail - end o a skein o wud, wild, grey geese, caicklin and scuddin our wings ower hill and loch and muir. It was on our road hame, fae yonder til here, fae the bow o the Airth tae the back o Benarty ...

... I squintit doun, and there stuid twaa bairdit men in bleck coats and bowler hats, fixing their graith o calculation and takkin meisurements and soundins. Things staund still for centuries syne cheynge in a spleet saicont.

The patter was aye guid wi the geese. We had riddles and jokes and sangs for aathin we saw ablaw and abuin us, up thonder on the sky roads. But I needit tae hae a closer keek at whit was kittlin doun by in thon field. But afore I tell ye about that, I'll gie ye our rhymes anent the mankind touns we flew ower.

Touns

Coal touns smeek,
Ferm touns reek,

Hill touns heeze,
Saut touns bleeze,

New touns big,
Mercats prig,

Auld touns wynd,
Lang touns jyne,

Brig touns rax,
Burghs tax,

Wab touns pirl,
Mill touns birl,

Bog touns droun,
Kirk touns froun,

Sea touns lowp,
Tuim touns cowp,

Brae touns are stey,
Grey touns are grey -   heh heh!

Tam, the tapsalteerie tattiebogle on the croun o the hill. That was me. I witnessed the toun's birth, aa the daeins and the comings and gauns. The wark o the planners, surveyors, engineers and labourers. Buskit in the orra man's auld clawhaimmer jaicket, I was first cless at gien the craws a fleg. I had a maggotty neep's heid on me wi a lum hat nailed on. I was steekit on twaa stobs.

I could gove ower seivin hedgeraws fae up thonder, but I'll tell ye this, it was gey cauld in the roch, hairst nichts, staundin there crucified on the brou o the hill.

Ae cleir nicht, wi the starns speldered ower the luift and the stibble blawin widdershins around ma coat tails, the Fower Winds theirsels blew in, tae tryst and blether and play tig in ma field. This is aa I could mak out o their souchans and sabbins, the mindins o the Fower Winds. Can ye understaund or faddom them ataa?

The Mindins OThe Fower Winds

The Suddron Wind
remembers melt,
the firstlin fowk,
black bear and elk.

The Aist Wind
out the Baltic blaws
and minds Napoleon
smoored wi snaw.

The Nor Wind yowls
as ben it gaes
the lintil at
the Howe o Maes.

The West Wind greets
aye greivin o
the touns in lochans
tint ablaw.

The Laird in his fantoush London house had sellt his faur awaa field, for the surveyors had found a vast treisure hoard, liggin faur ablaw the ferms and feus he owned.

Deep doun in the weet airth, a miles lang dass o bleck, bidan there tae be delved and liftit through aa the menseless centuries as men think o them. This smaa toun wad turn out a Coal toun.

Coal

Free-coal	*burns aisy*
Jewel-coal	*burns shiny*
Parrot-coal	*aye splinters*
Splint's	*neir the surface*
Wee coal	*that's smaa*
Chirls, pearls and peas	*smaa enaw*
Dross	*coal ataa?*
Hinging coal	*hyne awaa!*
Smiddy-coal	*nae smeek*
Scraw-coal	*that's cheap*
Sclit	*slaty stuff*
Stinkan-coal	*sulphur guff*
Tripin	*nae gaird*
Fire-coal	*i the yaird*
Gleed	*i the grate*
Ghaist-coal	*white and het*
Gaitheran-coal	*aff the bing*
Rakin-coal	*shoveling*
Setter-coal	*for a while*
Shaly-coal	*fou o ile*
Kennlin	*set alicht*
Aa Quile	*burns bricht*

There were bings and bings o siller tae be won for investors wi fat kytes and white teeth.

Ye daurnae blenk nou. First, a steep sowp, sunk in the ground wi shutterin round it. Afore ye kent it, a pit-heid, a pump-house, a wyndan wheel, a spoil heap. Neist, miners' raws, a shop, a schuil, a kirk.

Syne, the railway line singan ower the moss, fetching in the fowk. Whit else? Weill, ye cannae hae a richt proper toun athout a splendiferous muckle Toun House. Provosts, councillors and clerks tae sort out ... public bylaws and licensed premises. Ye daurnae blenk ...

Afore ower lang the folk hae a nickname for their miners' raws. They caa them The Happyland. Ye needit a guid sense o humour tae bide there. They were aa cawed doun a lang while ago. But naethin's ever tint.

Tak a daunder round the toun when aabody's awaa tae their bed and the last drunk's stopped singan *Fae A Jack Tae A King* at the Cross.

Lend a lug. Aiblins ye'll hear the faur, faint lauchter o the bairns out playin in the lang summer nichts and the mithers caain them in tae their beds. The past's aye thrummlin yet, gin ye tak tent o it or no.

The Cross

When the Co-op knock sounds midnicht
staund and listen at the Cross.
Is it the bus o the back-shift men,
is it the pit-buits o ghaists?

Is it the pit-heid lassies
rakin the coal frae the dross?
Is it the jinglan o pennies,
birlt at the pitch and toss?

Is it the grey geese fleein
ower shining watter and moss?
The toun steers in its dreaming
for the Happyland it lost.

A new born day's aye stertin,
a brand new penny's spun,
the hert o the toun is thrummlin
for the Happyland tae come.

Whit maist it hae been like tae be thon clairty bleck stuff, yirdit in a coal lair for aa thir mindless years? Sae, doun I delved ablaw the surface o things tae be sib wi the slawly birlan mineral heavy airth. Doun and faurther doun I gaed until I was in the very hairt o a carbon loch. It was no very pleased I was there amang it. At first, aa I heard was the groanin and riftin and splittin o it.

"Gae awaa, sir," it girned, "ye've nae business doun here."

And it ettled tae squeeze the braith out o me. But suin it settled. And I lent a lug again. Efter a bit I heard the coal seams rummelin tae theirsels, the sang o the coal.

The Leddy O The Wuids

First I was
a winged seedlin,
a dafferie on a kind wind.

I fell saftly
on burnt airth
and lairned hou tae growe.

I raised ma heid
amang sisters, brithers,
luikan for unkent faithers.

A saplin, swack,
I focht ma road up
tae reach this fou hecht.

Nou ma airms drap,
ma paper bark peels,
ma siller twigs glaim.

I am happit in green,
a galaxy o oval leaves,
saw - tuithed and hirselin.

And nou , a mither fou
wi seed - haudin cattykins,
the Leddy O The Wuids.

Seasons, they forder and flaw,
they flouer and hairst and dee,
they gae and retour.

Seasons, they rise and faa,
till slawly the sap gaes dreich,
the trunk turns shrunk and runkled.

In nae time I dwyne,
though I haud up, bidan on the blaff
o the first strang wind.

Ruit-tyauved I rowe, skewed I cowp,
speldered ower the burn
whaur saund smoors me.

Intil the daurk we aa maun gae,
preesin ferns intil fossils,
we are derned fae the gowden ee.

I am prised and birzed and clampit,
I jyne and mell, rot and dry,
am chirtit and grozed o watter and air.

The yirth plates thrummle
and dinnle a faur weys doun.
Abuin, the surface lithes.

I layer and age
throu cycles unfathomed until,
black and haurd as stane I stent.

Think on a round year
liggin cauld in a coal lair,
think on wheens o million, syne mair.

The meisureless wecht
o geology meltit
i mankind's meenit.

Nou the fuit o me is undercut,
explosives are dreeled in me.
I am blastit and broukit in bits.

I am shovelled in hutches,
wheeled and brocht up
tae feel the makar sun.

Ma rig banes are sellt for siller,
kindilt in hearth,
burnt in biler, roastit in oven.

The bluidy stanes o me
burn cramson in the glow,
lowe like white ghaists.

An empire's fuel
in touns, cities, kintras and kinriks,
I skail out grannies in thrums o reek.

Bilan the watter,
skirlan the steam
that birls the wheels o Fortune.

Uised and yokit
for steel for bridges and biggins,
bullets and sherp-tuithed coal cutters.

I heat the range
o the miner's wedow
in the gurl o the fell teeth o winter.

I am ash and flame,
I am stour and carbon dioxide,
out the lum o the crem,

A smirr and a smudge,
a gair and a grime
that bleckens the sun's ee.

I sain the bairn leaves,
on the kind wind
that cairries the winged seedlin.

I was richt gled tae win out o there, yokit amang thon clarty, brooding stuff, thirlt in the bowels o the airth. Wi a kythin hairt I rose up intil the licht.

Nou I felt the uprush and roar o the westlin wind in the buinmaist airts o the air. But aince ye hae breithed in a lungfou o the coally, iley stour it is wi you for aye. In the bluid-flaw, in the bane, at the hinder end the bleckness warsles intil your very nature.

In time, I wad hae guid cause tae rue the time I gaed ablaw the airth. But for nou I was weill shot o it. I was a buird again.

Surgo In Lucem

I wad be a whaup,
wheeplan ower the grun,
I wad be a mavis,
singan tae the sun,
I wad be a maggie
amang the siller birch,
I wad be a blackie
whustlin in the larch,
I wad be a sparrae
on a hummel buss,
I wad be a swallow
and flee ben in a rush.

I wadnae be a houlet
in the pit - mirk nicht,
for I wad be a laverock
and rise intil the licht.

I sklentit doun at the ongauns in the Mankind toun. It was the 23rd o August, 1904. It's a parade! I was never able tae nae say a parade. Is it the Miners' Gala Day?

There's a big brass band at the heid o it, gien it laldy. But naw. It's Buffalo Bill's Wild West Show, on the last leg o their European tour.

They're drummin up business for the matinee performance. Imagine thon! Buffalo Bill hisel, mairchin doun the High Street. So I clip ma wings for a bit and heid doun for a swatch o it.

Lakota Sioux In The High Street

I hae seen it aa afore,
juist anither mining toun.
I kenna its name
for I am faur fae ma ain kintra.
The shawled wimmen
shriek crousely
trauchled by their
peely-wally bairns.
Outside the pubs
the men in their bunnets
douk moustaches in their beer.
They cough, spit and blaspheme.
They stowe the causeys,
hing fae the winnocks,
sclim up the biggins like raccoons,
pale faces in coal stour war pent.
A muckle white cuddie up-ends itsel,
the great Buffalo Bill hisel
is neir flung on his erse
when a hauflin jouks out afore him.
They raip the yirth, are peyed
back in disaster, puirtith and daith,
these guid brithers wha cheer us on
tae re-enact our genocide.

This being a mining toun, Daith is nae stranger. I've passed monie a sair house wi a sairer hairt in ma time, kennan that the gleed o howp has juist been snuffed out for aye. The dreidit chap on the door, a wee boy staundin there wi a message in his haund fae the pit manager. "I'm awfou sorry, missus . . ." Syne aathin was afore, nae maitter hou haurd ye greet for it.

Glamourie

Our ruits are in watter, we dance on saund,
Glamourie and Daith gae haund in haund.

A mantle haps the coal-deep moss,
bog myrtle and bell heather,

the bruckle heids o cotton gress
like smeek and white as feathers.

Our ruits are in watter, we dance on saund,
Glamourie and Daith gae haund in haund.

At the Back O Ane

I saw the men in their moleskins this morning,
daunderin up through the leaf - luckie wuids.
It was caller and lown at the back o five
as they walked ablaw a green fullyery
on their road tae the colliery heid.
The birds were thrang and whustlin,
the bees bizzen abuin the broun heather,
when they aa went doun at sax o'clock.
By hauf past the hour, weill underground,
they were faur alang the Cuddie Road,
pechtin up the Wheel Brae,
hunkerin doun tae eat pieces
afore makkin a stert at seivin.
And the time passed in
till the sun was at its heichmaist,
plouterin fae the day's haurd shift.

And syne the first straik o licht
doun a new-dug shaft.

At the back o ane
there were nae birds singan
tae be heard up tap. Aathin fell still.
Then, wi a roar and a dunneran
like the faa o a hunner Forth Brigs,
nicht drappit and reived through the luift.
The sun was puit out by screeds o bleck moss.
Aa the time in the world was endit syne.

History is aither a midden heip o facts that hae been flung awaa or it is a moral threip. Gin the saicont is true, tak guid tent o it and lairn. Aiblins baith are true. There are angels as muckle as suns, lowan in the hairts o galaxies. But they arenae in this airt. On that daurkest o days, there were brave and great sowls, braver than God or his monstrous angels. I saw their sowls glaiman wi burnin gowden licht in the mirk o thon rowp. And I saw them here in this smaa toun. They redd up their tea and breid crusts, puit on their auld coats and bunnets, kissed their wives and bairns guidnicht and rose up tae the licht like latter day saints.

John Jones

John Jones was a collier
wha spoke a fremmit leid,
Jesus was his pit-prop
fae the wecht abuin his heid.

John Jones was a faither
wha had lost his anely son.
The Peewit Shaft had taen him
as they drove deep in the ground.

John Jones was a rescuer
wha got thirlt ablaw the Moss.
He maist hae tholed his daurk hours
like Jesus on the cross.

Carnegie gied a hunder pounds,
because John was sae brave.
He spent it aa on leaflets
tae tell fowk they'd been saved.

Jesus was a jiner
but he rescued souls forbye:
"We will bring them tae the surface
or alang wi them we'll die."

Gey suin it will be neirin the end o the reign o King Coal. These are the rules o economics. Fowk came here for the siller and they will leave when it rins out. The airth's wounds will heal and the reekan bings will be redd up. Syne gress will grouw ower it aa as it daes ower graves. The raison for the toun will be taen awaa. Suin, the toun will be fou o ghaists ...

... the ither nicht, as I tuik the back road hame, stecheran fou, I cam face tae face wi a wud-eened cheil. He tellt me he was weill forwandert. Micht I shaw him his road hamewirth? That I coudnae, for he was lang deid, a lost sowl. This was the sang that he souched fae his rattlin hause-bane.

There was juist me and the fower winds scartin about the roads that nicht. He goaved through me and faur ayont tae some anither airt. I was gey feart and dauded on at a fair lick. I didnae luik back.

The Ballant O The Pitman's Ghaist

Tae the auld blues tune: Ain't No More Cane On The Brazo

Chorus:
There's nae mair bings in Benarty,
because they came and cawed them flet,
and aa the fowk fae then
are lang gaun unner the ground
but I'll win back thonder yet.

They built the Miners' Institute in 1910,
that's whaur the miners drink and sing,
they spend aa o their wages,they gae back doun again,
they're no afeard o onythin.

That's whaur I mind I met her, at the dancin lang ago,
her name was Molly fae The Raws.
Aften as the years roll ben I've made masel a vow
that I'll win back fae ablaw.

For lang, lang ago, I went doun the mine,
that's whaur I got lost it seems,
nou the wind it blaws sae cauld
and the gress is grouwan green,
wi the coal in fathoms liggin in atween.

Spend it aa on whisky or gamble heids or tails,
or save it for the rain's dounfaa,
but when ye arenae luikan, a wagon hits ye haurd,
and it maun tak your sowl awaa.

It's the years efter the Saicont War. We're intil the nuclear age nou - nuclear bombs, nuclear pouer stations, nuclear faimilies. Aathin's been nationalised and the miners hae never had it sae guid. Yet aareddy there's rumours o pits haen tae shut because they're economically unviable and cannae compete wi the miner chiels abroad. Aa that's juist ower the brae.

We're intil modern times and the Future is aye a clean place. Nae room for clairt or reek or stour in the brave world tae be. Aa our darg will be duin by machines; ye'll aiblins need tae work ane or twaa hours a week, at maist. Ye'll be retired afore you're thirty. Ye'll need tae find weys o puittin in yer time - reading poetry and makkin sculptures and gaun tae appreciate the finer points o the ballet.

Ye'll rise abuin pitch and toss ahent the bing and getting fou in the Club on a Friday nicht. Disease will be cured and we'll aa live tae a hunner and odds. They've sortit out TB and Rickets. Improvements are being cairried out everywhaur ye luik. The boy at the end o the road has bocht hisel a wee caur nou there's nae mair petrol rationing. Dod next door is biggin up a widden garage at the side o his gairden. I can smell the cresote fae here. I howp he's asked the Council for planning permission.

Oh aye, and there's been twaa World Wars and twaa holocausts at least that we ken about in Germany and Russia. Millions o fowk deid. Ower monie tae tak in. But we're aye in the here and nou in our smaa toun and that war's aa puit by. It's history.

The Fou Sang

Bung-fou, lippen-fou,
fou as the Baltic sink,
reamin-fou, drum-fou,
fou as fower drunk tinks,
stappit-fou, riftin-fou,
fou as mither's milk,
spuin-fou, puggie-fou,
fouer than a wulk,
heftit-fou, brim-fou,
fou as Uncle Jock,
pang-fou, boakin-fou,
ower-fou-byock!

Efter The War

We flittit intil number ten
efter the War i the spring,
a greenhouse insteid o the Anderson,
and the rose was aye the reider then.

The tar was hetteran i the sun
efter the War that summer,
wild strawberries at the tarmac's end,
whaur the rose was aye the reider.

The park fou o prams and sic a hairst!
Efter the War at the back end,
Mither in her cotton prent dress,
and the rose was aye the reider then.

The coal shed ruif's aa smoort wi snaw
efter the War that winter,
fower lang months afore it thaws,
and the rose was aye the reider.

Never sae guid when the men came hame,
efter the War and the best o times.
Cradle tae grave for booming bairns
and the rose was aye the reider syne.

Aye, you micht hae seen me back then. You micht hae walked richt past me on the causeyside and no kent it was me, for I was aften daunderin around the streets o the smaa toun at that particular time. You'd see me ablaw the railway brig in the summer whaur the pouterin doos fluttered in and out. In ma ex - airmy coat and patched Black Watch trews, I was juist a daft tink that had schauchled doun the auld Perth Road fae the berryfields, bletheran tae aabody I met on the wey. Ye'd hae seen me in every public house in that toun as weill because there was plenty o them and ilka ane had a dram tae recommend it.

There was work enough as weill, no ma real work, ye unnerstaund, the makkin o poems and the recording o fowk's daeins. And no gaun doun the pit nae mair either for this boy, though there were jobs still tae be had in the mines for them that wantit work. Ma lungs had no dried out fae the time I had went doun amang the coal. I had a scunner o the daurk, hemmed-in places and fae nou on it was the fower winds and the fower airts for me, be it caller, blaff or snell.

Aye, that was me, stottin fae pub tae pub. When I wasnae daein that I'd be chappin at the back doors o the miners' raws and the new council houses, buskin and chattin up the bonny young mithers. I made enough siller that wey tae gae out bouzan maist nichts. I was selling besoms, luckie heather, claethes pegs. I was shairpening or mending things, pots, pans, gairden shears. Fowk kent the price o things then and kept their gear a lang whiles efter it was duin. There was aye a wee job needin me somewhaur.

Syne at nicht, efter the pubs timmed out at the back o ten, I wad stecher hame through the quiet back streets o that smaa toun. Mibbe juist a lane dug barking fae a back yaird as I smooled past. I had a wee buckie juist out o sicht o the main road, ane or twaa miles out the toun. A braw wee neuk I'd passed ower when I was wi the geese, wi a puckle o souchan birks and a bubblin burn. I'd sit thonder, soukan at the reid buiddy, singing *Come aa ye Tramps and Hawkers* tae the tods and houlets and lauchin aa the whiles at the shooting stars as they wheeched and gleeshed abuin.

I'd heard a story in a pub fae an American sodger based at Faslane on the west coast wha was winchin a local lassie. It was anent a sky ship that had crashed doun somewhaur in the desert weys. They had foun smaa grey fowk in it. Hurled their wee grey corpses awaa in barries tae cut them up for experiments. The scientists jaloused these fowk were fae space - like the Emperor Ming's sodjers. They had tried tae hush it aa up. I felt gey sorry for thir smaa grey fowk, deean faur fae their hame land in a strange airt. I thocht about Yeats and the Fairy Host.

Sae there I was, weill out o the nicht wind, snod in ma beild ablaw the whin bank at the shank o the crookit burn. Ye wadnae hae saw me gin ye had passed ower the brig a couple o yairds awaa. Sometimes aa ye need tae dae is tak a singel step aff the main road and ye find yersel in anither world aathegither.

There were lang summer nichts whaur I sat there for the haill span o it, thinkan about the undeemous stars and the touns and the countless sowls that are born and live and dee in them. I thocht o aa the fowk like me wha werenae sleepan, wide awauk in the middle o the nicht, ilka wi their ain howps and wirries.

Morning Star

Firstlin and last,
the pale blae emeralt star
that pricks the cardium waa.

Nou a langwhile's dree
is slawly drained intil
the dreep o Western space.

Time nou tae tak a deep breith,
time nou tae turn and bide at peace
in your fretfou chaumers and wards.

Though it's bauch and gey faur,
thon lane star hoists a howp:
listen out, for a new born day is thrummlin.

Sae, let me count back nou. I'm ettlin tae mind whit year it was. The auld harns are stertin tae gae saft. When you're no in the habit o takkin much tent o numbers and dates it gets haurder tae place events when ye get on a bit. I hae it in ma heid that it was the early sixties, mibbe sixty-three. I'm mindin hearing a plummy voice on a wireless, havering on anent the Bay o Pigs . . . but Telstar's blaring out fae the neist house sae that cannae be richt... I'm in the gloaming, it's tea-time, round about Halloween. Somebody's frying ingans. The chip-pans are on. I'm out o braith. We've been playin chap door run on the auld wyfe's door and she's chased us doun the road. Howp she'll no complain tae mither. Asthma – it's the modern bairn's disease.

I am a wee lad again, sittin on a creepie stool. I've juist stertit the schuil and mither's ben the kitchen makkin the tea. Faither'll be on the back-shift and no hame for a whiles yet. I can juist catch a glisk o masel for a meenit in the passing but it's the expression on ma face that says it aa.

I'm goavin intil the fireplace, staring intil the flames. I'm wondering whit the future hauds in store for me. Whit micht it bring? Whit micht I be? There's ae thing I dinnae ken, and I'm gled I dinnae. Nae maitter hou lang I live, whit treds and skills and qualifications I gain for masel, whit siller I win and spend, hou luckie I am wi the horses, love or life, I'll never be mair wyce than I am richt nou at this moment. I sometimes wonder whit happened tae thon wee lad. He'll be a grown man nou, wi a faimily o his ain.

The Boy At The Fire

I asked the fire
whit I micht be:
it fleert and spat
tae leave things be.

Delvers, howkers,
firemen,
faur better, faur,
aye no tae ken.

The fire went out
and I was cauld:
I kent ae day
I micht be auld.

Aye, that was a time when aathin was on the hing. It ayeweys is. Cheynges are ettlin aa the time and naethin bides still. There had been cheynges ettlin heelstergowdie and camsteerie and aa roads fae the time since thon wee toun had first kythed.

But sometimes ye luik back and you see that though you had nae notion o it at the time, the balance had cowped for aye in a day, an hour, a meenit, aiblins a saicond. And ye werenae even peying attention! Yet never maitter. I'm haivering again. Mibbe you were grouwan up in that toun syne or mibbe in anither toun sib wi it.

Auld Houses

They're cawin doun auld houses
tae big the fowk new hames:
doors warselt aff for bonfires
and brucken winnock panes.

Flairboards aa upliftit whaur
a bairn micht claucht his fuit in,
the skitteran o rottans' feet
in ahint the skirtins.

In amang the dreepan pipes
as weet as winter's thow,
rummlin ben the glory hole,
it's mirk, sae mind your pow!

A dowie graisle in the haa . . .
a jirg - ocht, wheesht, ye fuil!
I thocht I heard a souchan
like the house itsel was doul.

"Ye'll no play in auld houses."
ma Dad said, "Dinnae daur."
Mingin, mockit houses,
flung up afore the War.

Aye, even that late on, the streets were fou o fowk gaun about their business. It had no reached the stage yet whaur there was naebody on the roads but daurk strangers.

Neibours luiked out for each ither. You didnae lowp intil the fower wheel and heid aff tae buy a week's messages at the mega mercat aside some dreich car park at the hindmaist airt o the neirest big toun. Aabody and his brither shopped at the Co-op or the Store as we caaed it. But I'm in danger o faain heidfirst intil the stank o sentiment. Fowk didnae lock their doors then for there wasnae onythin tae steal. Maist o us were skint. Rookit.

Naw, it wasnae aa guid, especially gin ye were the puir auld Store horse, wha I had a shot o being for a while (the better tae observe the life o the toun, ye unnerstaund). Aa thon rhubarb you enjoyed wi your custard in the sixties was doun tae me and ma daeins.

Store Horse

I peety the puir hemmed- in baist
as it slouches round the streets:
it pou's a maister and a cairt
o totties, kail and neeps.

Its maister feeds it sweeties syne
it gies his haund a lick
but gin it gaes ower slaw or fast
he skelps it wi his stick.

Its neb-bag's yokit tae its lugs,
the maister whispers, "Cuddie,
a rare retirement's round the bend
whaur ye maun spend your divvy."

Daes it ken its days are numbered?
Ma hert gaes out tae it,
wi hingers-on, shovels in haund,
eydent tae steal its shit.

A sair darg that, the Store horse. But I lairned a lot. It's ayeweys a guid thing tae see life in a new licht. Screivin and the airts o Leeterature as weill. I'm no kiddin on for ane meenit that thir cuttie verses and scraps o doggerel anent kenspeckle fowk fae years gaun past are deserving o that appellation. Some o them are gie rough and ready, I ken as much, they're wantin in polish, (Dark Tan Yin or Kiwi Cherry Blossom?) backward-luikan, ower fou o sentiment and bathos, sairly requiring the requisite objective ironic detachment and formal poise that's needit for the real MacKay.

I dae ma best. Funnily enough, there's no that monie fowk in the smaa toun that read works o that ilk. They think they're a load o pish. The Heidmaister's no opened a buik since he graduated wi his MA 2:2. The Meenister has shelves fou o Morocco bound quhairs but that's juist tae hide his bottles o Cameron Brig ahent. Some o the miners ken their Burns aff by hairt and Tam Kelso, the Communist councillor, is a peyed up member o the Left-wing Buik Club. He's aquent wi Orwell and JB Priestley and a wheen o foreign screivers as weill as his Engel and Marx. I feel gey sorry for Tam betimes. He's a guid man wi a heid fou o idealistic notions.

There's nae dout that he ettles tae mak his toun a better place for the fowk tae bide in. First the toun and syne the world. But smaa details keep haudin him doun and takkin his een aff his vision o the Revolution.

Councillor

Loquacious men o commerce flyte him,
Labour's placemen mind tae spite him,
the Rotary are out tae skite him,
thon communist!
For you'll no find a body like him
on honours lists.

Weill read in Marx, kent John McLean,
the Moscow Burns Club ruise his name:
tae caw ower Capital's his aim
and lowse our chains;
The Britherhood o Man's his aim,
and chokit drains.

His Bolshie weys gets Billies bleezan
And Tims think him a Godless heathen
but nou the bairn can no get breithan,
sae round you tramp -
you speir his licht - you howp that he's in:
your prefab's damp.

Here's a puckle o weill kent fowk that I saw as a wee boy sittin by the fire. Mibbe you kent them in your toun? There were a lot mair like them but I hae lost some o them in ma memory. I'll shut up nou and you can read about these anes wi nae faurther interruptions fae me.

Jock The Coalman

The Coalman clatters ben the close,
humphin heavy sacks,
a lourdlie forest's his tae heeze,
smaa wonder he's bou-backed!

His stourie carbon fuit-prents
are dragonflees and ferns,
ammonites like wyndan wheels,
a langwhiles deid and derned.

He steeks our coal-house bunker,
he cowps his clairty pokes,
aa slaistert, in his bunnet
the Coalman, dirty Jock.

The Pittenweem Man

Grey cod, gowden haddock,
douce Dover sole,
rowed-up reid herrin
in vinegared bowl.

Happit in oatmeal
or breid crumbs is nice,
swack banes tae swim wi,
harn-ile tae be wyce.

Crabstick, fishcake,
pink partan's cleuk:
sad souchs the shell
for the sea's dab and fleuk.

He skails out his pail,
his scales wecht the price:
unco's his van
fou o fishheids and ice.

The Ragman

I foun a ferlous fairin,
ablaw an auld fell waa,
a thing ayont aa screivin's scowthe,
playin Deid-Man's Faa.

Aiblins deleerit faery fowk
forgot the thing umquhiles:
aiblins a burglar drappit it
afore he got the jyle.

I shawed it tae the Ragman,
wha speirt whaur it was foun,
his futret een goaved fae his heid
as big as twaa balloons.

Auld Wyfe In Ill - Temper

Jampin through the nettles,
strampin doun the whuns,
skitin fae the auld wyfe's door
playin Chap-Door-Run.

Her face is cratered as the muin,
fair crabbit is her moan:
Why is she no as gleg as me?
Wha was it stole her scone?

Alf - The Tupperware Man

A chap at the door wi the grate banked bricht,
wi us aa couried round the fireplace:
wha micht it be on a cauld hairst nicht?
He's there wi his saumples and case.

He's tassies and tumblers and ashets and plates,
he's kisties tae haud yer hough pieces,
ane fits in the ither, in pale pastel shades,
for salad days on the Fife beaches.

They're no in the Store yet sae order on tick,
nae mair will your man's denner spile,
modern, washable, swish and sae swick
but the breid's funny tastit, o ile.

Ice Cream Van Man

At the jinglan tirl
o the tea-time rider
there's chocolate wavers,
oysters, sliders.

Wi Grandad's cheynge
rowed in ma sleeve:
a cone, ten Capstan
in ma nieve.

"We aa need treats."
Whit extra cost
tae smoor it wi
sweit cramson sauce?

Hae you noticed hou this modern world fairly gaes through things? Coal for ane. Slider wrappers, juice bottles, crisp pokes. Stuff. Here's an unco thocht - whit micht we dae gin we ever rin out?

Naw, the heid-bummers that govern the countries wad never let that happen . . . the world's steekit wi enough guid gear tae last a lang while.

The Washer Wyfe

Sarks and semmits,
hose and breeks,
plash and plouter,
slounge and steep.

Sain awa
the gairs and grime,
rigged out for
the neist life syne.

Worn and duin,
flung on the pile,
a thing'll dae
a guid lang while.

Birl the wheel
and scrub the claethes
douk the souls
and wring the wraiths.

Siller and gowd, syne mair siller and gowd. We aa draim o it. Siller and gowd can turn onythin ye want intil onythin ye've got.

But if ye hinnae got it, life can be difficult. Like when Mrs Tam Linn dovered ower wi a lichtit fag ane day ...

The Rentman & Mrs Tomlin

Mrs Tomlin's gabbity mouth
is fou o tinker's pegs,
she's fat as she could rowe
upon twaa muckle birselt legs,
she lichts a fag and faa's asleep
and suin she sterts tae snore
whiles the Rentman in his raincoat
is chappin at her door.

Mrs Tomlin's trauchled
and she aye luiks awfou wearit -
she wed a man wha's never worked
a day since they got merrit,
she's echt smaa bairns in erseless breeks
and nebs that rin wi snot:
the rentman in his raincoat
gies her door anither stot.

She spent his rent on fuilish ploys
yet never won a house,
while she nid-nods in glamourie
he's knockin swith and crouse,
she dreams o birlan Fortune's wheel
cowpan aa her worries
but the Rentman in his raincoat
shouts, "I'm in an aafou hurry."

The sun staunds fixed at her command,
her birlan gowden baa,
She's Maeve, the Queen o fair Elfland,
immune tae mortals' caa,
the stars keek fae the velvet mirk,
a thousan ruisan caundles
the Rentman in his raincoat
is aye tyauvin at the haundle.

Ash smouders on her peeny
fae the skailin o the dowp,
flames lick the flouered pattern
and stert tae kyth and lowp,
she's waukened up and screamed,
nou she's tummlin ben the green,
Mrs Tomlin's burnin
and her neebours hide their een,

Her bairns are greetan "Mither"
yet naebody casts a clout
till the Rentman wi his raincoat
puits Mrs Tomlin out.

It couldnae hae been lang efter thon time that Mrs. Tomlin set hersel on fire that I stertit tae notice a muckle cheynge. Fowk wad speir richt through me, as if I wasnae there. Didnae maitter whit guise I had taen on. I'd be staundin thonder on the causey and they'd luik richt through me as if I wasnae there.

Some o the auld fowk could still see me but they wad act like I was a ghaist and turn awaa wi their faces aa peely-wally. Tae me, it was like they had crossed ower, like Orpheus, intil anither world. I could still see them but they couldnae see me. I had gotten ower attached tae the smaa toun. Aiblins I had dauded around there for langer than was guid for me.

It wasnae luikan guid. The pits were closing, ane by ane, and there wasnae much else for the fowk tae dae apairt for tae flit tae somewhaur whaur there were jobs. Suin it wad be juist the auld, the bairns and the hauflins left. The fire had gaun out and we aa sat around, waiting on judgement day.

In parallel universes and sib planets the same wad be ettlin. I howped no. I howped there wad be an upturn in some o they faur awaa touns. Mibbe it micht even be worse in some airts, grue the thocht.

The Day Efter Judgement Day

There were thir twaa auld wyfs, cam round ilk year,
juist efter Christmas, chappin on the door,
haundin out tracts fae the Bethany Haa
and bearing heivinly witness in the cauld.
A cheaply-prentit wittin - Turn or Burn!
Twaa puir auld wyfs they were, no weel turned out
or educatit, happit in thin coats.
Ane luiked no richt, the ane wha didnae speik,
the t'ither had a skeilly ee and threiped,
"Hae ye been saved?" "Naa Hen, I hinnae faith,"
I said as kindly as I could tae her,
fair sorry for their fuilish superstition.
The house ahint me fou o booze and gear,
I shut the door and keeked atween the blinds
and watched them trauchle faur alang the street.
Wha micht hae thocht the twaa o them were richt?

It was a douce affair, nae revelation,
nae screams or mowdy corpses, faain stars,
nae slauchterin cuddies reingin ower the lift,
nae trumpet blawin at the crack o doom.
The authorities had been notified;
a timescale for uplift had been arranged.
You got a first class letter through the post -
the day, the time, the place they'd pick you up.
The gemme was ower and ilka body kent it,
fuilish tae complain, spellt out in bleck and white,
wi nae appeal - maist fowk got in the queue.

Bricht angels and daurk deils appeired, worked sib,
the war nou duin atween Heivin and Hell.
They checked fowks' papers, directed cars,
or even cracked a smile, yet business - like.
Some thocht the bonfire wadnae be ower bad -
ane boy jaloused he'd hae a flame-grilled tan -
whiles ithers howped tae meet deid relatives.
Bibled and suitit Saved swanked up the plank,
their siller spaceship parked on Craigtoun Links.
It aa went fine, without much steer or fuss.

I maist hae been a bureaucratic slip -
the letterbox tirled but naethin fell through,
the haa was tuim, I heard the souchan wind.
Later, nae answer fae the enquiries desk -
they said they'd check it out syne get in touch.
The day efter Judgement Day, I sit here
screivin this doun whiles outside in the street
an angel sweeps up litter that fowk left.
It's been a gey lang day, gey wearisome,

the stour is settlin in the setting sun . . .

We're aa makars, ye ken. We mak up our ain reality as we gae alang, juist like I'm makkin aa this up. Meanings and truth are functions o the sel. Your erse they are. It taks a gey smaa man no tae see we're aa smaa pairts o a bigger picture. Determine that ane out.

In haurd times fowk faa back on their faith and that's no a bad thing. But religion's no the pouer that it was in the toun, it's a deean thing as weill. Juist somewhaur for the auld fowk tae gae on a Sunday.

The young fowk are like futrets yokit in a cage, stymied in the material world o the here and nou. Aa they ken is aa they see and whit they see is a shrunkelt corpse o a toun in the years efter Margaret Thatcher stuck a gully knife up tae the heft in its hairt.

Tam Kelso deed years ago and his beloved parish is fou o alcoholics, junkies and work shy wasters, the grannies and grandads, mithers and faithers o Blair and Broun's bairns. The council houses whaur the miners grew neat privet hedges and kept trig and cantie vegetable gairdens are creeshy middens whaur rottweillers roll in the fouled gress. The ruif o the Brass Band haa is faain in and the graffitti messages screivit aa ower its mockit waas are caas for help.

But there's rumours fleean round the toun. We're gaunnae be re - generated. Like Dr Who. They'll be cawin doun auld houses suin.

The Cross'll be a piazza. The Opera House La Scala. Macari's chip shop a Pizzaria. They're heezin up statues and monuments tae our industrial past. The haill toun's badly needin smertened up. It has tae be - the fowk in the new houses'll no puit up wi it like it is.

For there are houses, houses, everywhaur ye luik. Whaur aince there were green fields and wids round the toun, nou there are streets and mair streets laid out o new -biggit houses. Whaur there was a yaird or a smaa glebe o land atween twaa shops, nou there's fower bungalows preesed intil the space.

Whaur there was a plot grouwin leeks or an auld gairage propped up on bricks, nou there is a scheme o semi-detached villas. On ilka sax-fuit lair there are houses, houses everywhaur. And ilka wee ruckle o biggins has its ain daft name. *The Steadings, The Loanings, The Stables* (for the Store horse aiblins?) Suin, aa the smaa touns maun mell thegither intil ane muckle mono - blocked estate that streetches fae coast tae coast, fae but til ben. Three, fower, five bedroom houses.

But whit neist when the bubble bursts like an ugsome bile? For we're aa up tae our eyes in tick fae the heichmaist tae the laichly. The banks are aye haundy tae tak a len o ye. But the banks are biggit on saund. We bide i the land o Usury.

And whit about thir houses? Wha steys in them? Wha affords body syne the houses are its cells. Are they a transfusion o new bluid or foreign cells that will tak ower and kill aff the auld body? A toun is fou o sowls that gie it ane o its ain.

Sowls

Sowls are yirdfast
slaw and unswith,
their makkin fernyears millions

yet they lowp and dinnae last
mair nor a daft hour
i the fire-yett o life,

sowls are like lowan maukins
that grey intil ghaists,
syne cowp i the ash.

Ye ken whit? I'm auld enough nou tae think back on aa the guid fowk I hae kent that hae lived their lives out in this smaa toun. Monie o them hae passed ower. They seem in memory tae be lairger than life. Wild, lowan, kind sowls. Some boys and lassies. I wonder whit they wad hae thocht o whit is afore me nou.

But aa that's in the past. A guid place tae visit but no tae bide. Sae whit micht the future think o us?

The Holographic Dominie

Bairnies - pey attention.
Tak guid tent o the shimmerin halo
o your empathetic gird
that we maun caw awaa.
Mak siccar o your cortex yokin,
jyne up your neural interface -
we hae a virtual treat in History.
Athout leavin our chaumers
in the siller pods o Skytoun
we'll visit the bairnies in their schuils
thir hunners o years afore our time,
afore fluids and broun dreich deserts.
We hae Aeon Endoscopic, Version: 6,
the latest in time traivel gear.
Wi a century tae browse,
we'll unraivel the years
athout damming or bauchlin the flaw o time.
We'll tryst wi ancestors claucht in their days
wi nae inklin o our field trip.
We will see, we will hear, we will smell them
but no they us. Sae - mind, Copernicus Moffat,
we had best no sneeter, or poke or probe
as we thow out undaeable deeds.
Thir children are our faithers, mithers,
we are their heich flung star seed.
And whaur will we gae?
We speir the universal
that manifests in the particular ayeweys.

We wale ane schuil out o thousans -
but tae fowk doun thonder, then,
its infit on their lives immeasurable.

The faither o Gagarin Carnegie
has connections wi Northern Europe
And a fou data record's extant.
Let us gae doun, find a specimen o interest,
click and drag the alias tae your file

for kennan,
for speirin,
for unnerstaunnin …

Wha are the bleck -faced mowdie men
that white-eed luik sae doul ?
You micht wonder, Adam Hume …

They brocht their faimilies here tae bide.
They tunnel and delve bleck carbon,
a finite inefficient fuel that fleered their world.
The toun is biggit on these men's backs,
its buildings cowp ablaw their shifts,
they slave for the Coal Company,
burrowin their levels and labyrinths
unkennanly underminin their bairns.
We stert in 1910. The sandstone cracks
aareddy in the great schuil-ship.

We speed it up, see the slippage as it sinks
intil saft airth … heeze it up.
It founers, it is brekkan up,
airn girders cannae cradle it,
a steel hause bane cannae haud it. Nae uise.
The ground flair becomes basement,
the winnock gless has nae outluik,
the anely wey is up, up aye
for we loue the air, the space, the stars,
we will rise intil the licht.

They were tellt tae screive i a fremmit leid.

The dining hall was full and shrill,
The screaming hordes were in there still,
But under a hot and airtight lid
A solitary pudding lay and hid.

They ate animals and fats
that stowed their arteries, puit pressure
on the brukle membranes o their hairts . . .
thon boy at his buiks - they caa him a swot -
he'll turn out a doctor and a scientist,
win a Nobel Prize for fast beatin hairts
through his darg in pharmaceuticals.
The wee lassie is Dux in twinty - twaa,
unheard o then for a quine to win this.

Efter Hitler and Hiroshima
there is an ettlin tae mak guid.
The Open University is a licht
for them wha founert at schuil,
a saicont chance, a walin tae rise
fae out the pit mirk.
Thon laddie draggin on his woodbine
ahint the dining haa
is a genius wi his left fuit.

But these are the minded anes,
no typical saumples.
The boys playin pitch and toss
the girls skippan paldies,
will birl smaa cheynge,
skip ower thin cracks maistly
as lovers, parents, workers and fowk.
They win nae faurther than the blank coal face
or the lourd sheet o washin on the drying green
but life will aye test them wi the age-auld exams.

Wha kens nou if they passed or failed?
They aa flouered and faded, came and went,
They maist hae grown up, lived, draimed
and ane day deed.
Nou they lig at Kirk O Beath.

And were they gleg fowk, ye ask, Joe Corrie?
Some believed, some jaloused,
they were made in the image of God.
We can anely watch and mak guesses.
Unco as it seems some evidence suggests
they kent hou tae be happy, betimes.

I must go down to the fair again,
To the noisy dodgem cars.
And all I ask is some candy floss
And a rocket going to Mars.

We preese a century intil ten meenits,
we see these bairnies ebb and flaw like tides
ower a coral reef, like watter through a mill wheel,
unkennan whit they bring - a deposit o trends
faain in on itsel and morphin,
leave-piece penny tae pound,
as barefuit becomes pitbuit becomes desert buit,
Doc Martens, Nike trainers, Harry Lauder
Glen Miller, The Beatles and Madonna.
The muckle dinosaur o industrial age,
Triceratops o steam and coal and iron,
dees like a dragon on a bing o fire and ash
tae mak wey for the quick - eed mammal,
Nanoscience.

I often sit in classrooms
And dream of mixed up things
Of shining bikes and motor cars
And rock songs Elvis sings.

These are the bairns whase faithers
hinnae grown up yet. Fumblin in the daurk
taeward the licht like daffodil stems
and fibre optics. They hinnae yet speired
tae puit money tae its last use - kindlin,
or their obsession wi weapons and pouer
on a bonfire alang wi their tattiebogle leaders.
They still trow they arenae animals.
Wauken up children. Cure aa your cancers.
Discover the Science o Sympathy,
develop and rax the will. Realise
that whitever can be thocht o
maun be realised until ...
naewhaur a bairn greets in the nicht.
Rax up taae the licht.

Slaw it doun and we'll hear their blethers:
"But Sur, I hadnae nae time
tae dae ma Latin hamework last nicht ..."
"Then puit yer haund up, ma laddie
and I'll gie ye fower o the tawse -
wi twaa extra for no speikan richt."

Aye, I ken it was brutal and coarse -
you dinnae hae tae luik.
And whit did they lairn ? Lend a lug . . .
“A preposition establishes a spacial relationship
atween twaa tenses in disagreement,
whiles the circumference o a rhombus
is the cosine o a Bayne’s pie squared,
the sum o aa knowledge is equal tae
a wonderful field o totties,
the tundra is covered in perma frost,
energy is frozen matter,
ice is frozen watter,
the human body is 90% gas,
that table is made o wid and so are you,
son, a quaver is hauf a tremolo,
a trombone is a clot o bluid,
the binary sytem is the basis o our constitution,
the chancellor is guid at ironing,
history is junk, for ilka action
there is an unequal and opposite inaction,
that’s ma last duchess hingin on the waa,
the last craw was greetan for its maa,
awaa and fetch me some skyhooks,
the ablative case is with les temps perdu
Ich bin a bin liner …

The flaw o time is irreversible.

Some aural data's gaun tapsalteerie,
but we hae the gist o it.
The schuil is mair nor the pursuit
o paper qualifications - sorry, wee clone -
screivit testimonies o competence
scratched or stamped in ink
on compressed wuid pulp
in thin white sheets. Scunnersome
as their learning pens seem tae us nou
thir three proximate schuils
whase sites we sift through kindly:
1910, 1964, 2003,
were great engines o enablement.
The lassie lairnin Brownian motion,
the boy wi the Einstein haircut
aside the Van de Graaff generator
are lichtin the blue touch paper
on the fossil firework that liftit
fower Forth brigs intil space.
We are watchin our species
growe aware o the licht
as the bairn in its pram
first ettles tae mak out
the orbits o its brichtly birlin mobile.

For the river and the swallow
and the white cloud in the sky
know no chain that binds them to
one place, and thus no more should I.

Nou let us daud faurther on,
tae the hinder-end o the century…
the Januar dominie's in the daurk
on the first day back
in the droukit car park
that is brimfou wi puddle and pothole.
December's merkin is in his case,
tears are rinnin doun his face
for the stingin wind catches him a clout,
a haundfou o sleety efterbirth o the bairn year.
It's bleck and weet as it can get
for the stert o a new term,
for the stert o a new year,
for the stert o the end o this biggin's term.
Yet the jannies and cleaners were out o their beds
lang afore him to puit on licht and heat,
mak the schuil corridors clean and neat
for his chairges o sowls.
The glare fae class winnocks
bevels and bends, reflects and glimmers,
fleers up in burns gurglin doun drains
as if a schuil biggin was athout substance,
faushioned o watter and licht.

The Januar dominie minds the Januar pupil
he aince was . . .
the wee first year pupil
luiks smaa aside the muckle vendin machine,
cuddlin his can o cauld juice.

He’s missin the holidays and his maa,
he’s waitin on the schuil bus tae come
and bring his best pal. Aye ettlin efter
the same as us aa: some respect, a role,
some wittin that he has a future pairt
in this unco and haurd business.
Aisy no tae mind that it taks a big hairt
tae face aa this big dumfounerin place.

The Januar dominie’s gran
is reddin up the house,
fifty years faurther back.
Her man is awaa on the pit bus,
the bairns at the schuil she never got.
Her great grandad is growin dim nou,
aa these years ahint her,
plouterin through muck, unread,
chappin neeps in the Laird’s North field.
The Januar dominie luiks aheid:
He sees sweyin birks, gowden daffodils,
sunlit and dappled like a Hopkins’ poem.
His grandbairns are amang them,
free as molecules, tae dance in paice and joy,
haen reached the licht at last.
Some coloured dots are lowpan
in the rain daurk dawin sky.
A tear prism in his ee,
tricks o the licht fae the chemical plant,
the first outlin plane or an alien craft.

Aiblins the Future, a chapter aheid, shiftin scenery,
makkin things ready for the neist instalment.
The Januar dominie minds o the bairn
inside him and gaes intil schuil tae lairn . . .
but nou it is neir enough wee playtime.
Let us gae up. Tak care, dinnae push
in the time corridor. Dinnae jolt
your cranial cavities on rejynan
wi your corporeal forms . . .
are your lugs workin, Malcolm Canmore?

From Geography I hurried on
to English, French and History,
Maths, Latin – what's it all about?
It seems to me a mystery.

For, once again, an aching head
comes o'er me as I travel,
the weary paths of Geometry,
its problems to unravel.

Science and Art complete the task,
alas, my poor endeavour,
for tests may come, results may go
but exams go on forever.

Ward 17

Late efternuin in januar
the Forth is cowpan, skailan,
tummlin, grey on grey,
on its wey tae the cauld Baltic sea.

Heich up, I speir,
the faur shore lamps appeir,
speldert ahint - Aist Lothian,
wi its uplands aa smoort white.

Muin-muirs in the gloamin lowe,
whaur I'll walk out in the daw.
But the temperature lowps through the nicht,
the morning hills are green athout the snaw.

They brocht me in here afore Christmas. I think it maist be januar nou. It's haurd tae tell wi the wey the weather's gaun. It's aa mixter maxter. Ae day ye think it's spring, the neist it's snawan. Ye get a braw view fae up here in Ward Seiventeen - richt ower the Forth. No a guid design for a hospital though, but that's post war optimism for ye. They'll be biggin a new ane suin. They'll caa it *The Healings.*

The doctor was in tae see me the day. Juist a young laddie really. Nice though, kind een. They never tell ye that much but I heard him speikan wi the nurses outby. The lungs are no workin and a wheen o ither things and, aye, they think I hae dementia. That's because I tellt him I picked up the lung trouble when I went doun amang the coal. He nodded and lauched but I could tell that he didnae unnerstaun. He didnae ken, for aa his lairnin, that he was speikan wi Johnny Aathin.

I lie here in bed at nicht, goavin up at the stars, and I'm wonnerin whaur I'll gae neist. Mibbe back wi the geese. I heard them comin ower the ither mornin. I woke up in the nicht and thocht I heard them whuddin past the winnock. I dinnae hae many regrets but mibbe I chose tae bide ower lang in the wee smaa toun. It's no a guid idea tae bide ower lang in the ae place. Time moves on and ye get left ahint in the past.

Nae maitter. They're aa due a surprise. Gey suin, they'll come in here and find me gaun. I'll hae turned intil something else."

Possession

When you were goavin in the puil,
when you were gawpan at the muin,
when you were gantin like a fuil-
open the door and let me in.

When you were warselin wi the worm,
when DNA gaed widdershin,
when you thocht you were faur fae hairm-
open the door and let me in.

When you were slidderan i the mool,
when you were speirin starns abuin,
when you sang at the Sunday schuil -
open the door and let me in.

Caa the polis in alarm
frail creature I inhabit in,
bolt the door wi your slender airm-
lock the door, Lariston!

She's oped the door, she's let him in,
he's cuist aside his dreepan plaidie -
blaw your worst ye wind and rain-
for nou you've let me in aside ye.

The Geese i the Muinlicht

We gae cowpan ben the luift,
we come caicklan and sklentan ben,
colliers lowsed fae dowie shifts.
The fower winds heeze our feathered hurdies
faur abuin the howffs o men
and mercats thrang wi jinglan Geordies.

Ower the lums o sleepy touns
and ruif-tree ridge tiles groutit ticht,
naethin steers, the auld wyfe's sound,
sheep i the fauld, tod i the den,
we're ghaists i cauld chaumers o the nicht,
the Nietzchean draims o supermen.

We sail siller i muinlicht,
a scour - out o stars is lowan attour,
ayont the ken o men's our flicht,
ayont their wits aa we hae seen:
efter thair founs and shouglin touers -
a rickle o stanes, happit in green.

There are days when I stert tae doubt masel. Aiblins I was never ony o the things I jalouse or howp I hae been. I was never up there wi the geese or doun the High Street wi the Wild West Show.

That's juist an auld man's mind faain apairt. That's an auld dementit miner talking, that's aa . . . and yet these memories seem real and I hae tae believe in them or I'm naethin ataa. Aiblins aa that's left o me are these scraps o poems. I'm a tattiebogle aaricht, happit in these daft duds and wud words .

Heivin Dwellers

Ower westlin winds and slauchterin guns,
the geese are up reciting Burns.

Ower shining watters, slaps and styles,
their cirrus straiggle's heard for miles.

In Whitby, Jarrow, Lindisfarne -
the Deil's awaa wi the exciseman.

Syne up and ower the Roman Waa
whaur the suinest melts the snaa.

Attour the banks o Reekie singan,
ruisan Nature's social union.

Lowp the Forth tae Fife and suin
its hey caw through tae Dysart toun.

Deep and lown is Scotland's Well -
tae see oursel, tae see oursel!

I draimed that I had deed a lang whiles back. Aa o me that was left was twaa, three words, screivit on a statue in a new biggit toun.

Halloween

1. Ower the muir road, starless,
   whaur nae tod steers,
   we trauchle and we trod,
   ae nicht, ilk year

   whaur nae wind souchs
   ower auld fell dykes
   or tirls a hinge
   on hingit yetts,

   ower the muir road, muinless,
   kenless, menseless,
   on this dreid nicht
   tae mak our tryst,

   ower the muir road, mirk,
   the hill road stey,
   back intil time
   in our schauchlin wey.

   This ae nicht biddan,
   mang the quick and growein,
   tae licht us hame,
   their lamps are lowan.

Grave in our sarks,
a line o deid,
wynds ower the brae
at Kirk o Beath.

A gey cauld coming
we'll hae this nicht,
flochteran moths
round neep-heid lichts,

Ower the muir road, soundless,
nae adder steers,
we mutter and moan,
we shudder and fleer.

Whit is this for?
whit is it, whit is it?
We plod and we traipse,
we mak this nicht visit.

2. Camsteerie the reeshlin,
twaa, three tae a lintil,
winnock gawpan,
grue at whit's intil,

a body saw
a dwalm at the sill,
a guiser at cantrips
felt the chill,

we bide our turn,
we hem and haw,
wi avertit een
in the shadows.

Doulsome we chitter
round the fleerin hearths
o the unsichtit folk,
the leevin ghaists,

wi nae voice we whisper
in yirth-steekit lugs,
wi nae tongue we tell
o the sadness that rugs.

3. They've shiftit grandfaither's auld knock,
taen the photaes aff the mantelpiece,
whaur's Alec's boy and Auntie Peg?
Ocht, rest in peace . . .

Puit it back, puit it back,
will you no leave it be?
puit it back as it was,
can you hear me ?

The greenhouse is shattered and chokit wi weeds,
the shed wisnae pentit, the fruit never poued,
the ruif-tree collapsed, subsidence held swey . . .
Whaur's Mither? But she disnae live here nou . . .

Puit her back, puit her back,
will you no leave her be?
The wey it aye was,
can you hear me . . . ?

4. Some haud tae their shapes
fae deir life ticht,
some are mowdert, bauch,
some rags o licht,

and aathin dwines,
suin is nae mair,
while we walk rooms
whaur nae waas are:

the pitman, the sodger,
the mither in jizzen,
the bairn wi the croup,
aa o us risen,

the laird in his velvet,
the elder, the soss,
peely-wallie consumptive,
hauflin fae the Cross

wi nae voice we whisper
in yirth - steekit lugs,
wi nae tongue we tell
o the sadness that rugs.

5. Tae mind, aince mair the meenit,
lang kistit in memory,
tae staund ablaw the viaduct
at the pairting o the weys.

The spaarae's flicht is swift,
doun the caundle lichtit haa,
the singer and his sang
ower suin are wede awaa.

Ower the muir road, we are brocht
tae merk weill aa our walins,
syne we are forced tae face
a midden heip o failings.

When mirk October birls
and shaks the sabbin trees
syne keep a pilot flame,
keep a nicht licht on for me,

for it's cauldest afore the thaw,
daurkest afore the turn,
we're biddan tae come awaa
by the channerin worm,

this ae nicht o the year
we grue mistakes and sins,
gled o the coarse cock craw
when it's aa duin.

The Stem Cell Leid

I lou the leid
that mizzles, thows,
I lou the leid
that lowes.

The berry gleed
i the blintrin cauld,
the stem-cell leid,
aefauld.

God (i the image o a miner)

God is a miner,
for aye is his shift,
heezan his graith, he howks i the luift.

God is a miner,
thrang at his work,
stars are the aizles he caws i the mirk.

Migraasje

I am a buird
fae God’s green gairden,
the stormy blaffs
hae brocht me in.

Aa this mean yird
cannae thirl me
nor thir birkless
touns o men.

Leaves and watter
are ma true airt,
in a smaa while
I’ll flee hame.

Anither day's dawin - and I'm sib wi it. I'm aye pairt o it. I mind borrowing a buik fae the toun library by a richt auld scunner. He said: "Yet I hae silence left."
Weill nou, I hae a puckle o better things left - faith, undeean howp and mair poems ...

Poetry by William Hershaw

Fower Brigs Tae A Kinrik - Four Fife Poets,
(with John Brewster, Harvey Holton & Tom Hubbard)
Aberdeen University Press
The Cowdenbeath Man, Scottish Cultural Press
Fifty Fife Sonnets, Coarse and Fine, Akros Publications
Makars, Akros Publications

Audio CD

A Fish Laid At The Door - Hershaws (songs)
Craigencalt - Hershaws (songs)
Tak Five - (poems with Tom Hubbard, Angus Martin, David Purdie & David Purvis)

Non - fiction:

Teaching Scots Language-, Learning Teaching Scotland
Scots Language & Literature; Examples & Activities - Learning Teaching Scotland
A Mass In Scots For Sanct Andrae's Day - Touch The Earth Publications